GUÍA DE LECTURA DE

EL ALEPH Y EL INFORME DE BRODIE

GUÍA DE LECTURA DE

EL ALEPH Y EL INFORME DE BRODIE

DE
JORGE LUIS BORGES

Por: Federico Díaz-Granados
Poeta y periodista cultural

EDITORIAL OVEJA NEGRA

CONTENIDO

Cra. 14 No. 79-17 - Santa Fé de Bogotá, Colombia

ISBN: 848-2801-94-4

Preprensa Digital: Grupo C Editores.

Impreso y encuadernado por
Editorial Retina Ltda
Impreso en Colombia - Printed in Colombia

EL AUTOR Y SU OBRA

Sin duda, Jorge Luis Borges es uno de los más prolíficos autores latinoamericanos, desde aquel 1923, cuando publica su primer libro de poemas. A partir de entonces, se empieza a conocer en el ámbito de las letras a un poeta, cuentista, ensayista y divulgador literario de la más fina estirpe,

El destino de la literatura estaba presente en Borges desde la sangre, pues su padre don Jorge Guillermo Borges era un escritor y traductor, en especial de la obra de Omar Khayyam.

El 24 de agosto de 1899 nace en Buenos Aires (Argentina), en la calle Tucumán 840 entre las Esmeraldas y Suipacha, quien fuera años más tarde uno de los autores cardinales de la lengua castellana, vanguardista e introductor en la lengua de la literatura fantástica, bautizado con el nombre de Jorge Francisco Isidoro Luis Borges Acevedo.

A sus siete años, con el decidido apoyo de su padre realiza su primer relato *La víscera fatal*, con una marcada influencia de Cervantes y un episodio del Quijote. Posteriormente traduce el *Príncipe feliz* de Oscar Wilde

y hace un intento de ensayo sobre mitología griega. F
tanta la sorpresa entre los allegados a la familia, q
llamaron al padre de Borges para felicitarlo por tan g
nial traducción, pensando que era obra de él.

En 1914 viaja con su familia a Ginebra (Suiza) do
de comienza su bachillerato en francés y alemán y
empieza a interesar en los poetas expresionistas. Lue
de recibirse de bachiller, los Borges se trasladan a E
paña para radicarse en Palma de Mallorca.

Hacia 1920, publica su primer poema, *Al mar*, co
bora con diversas revistas y conoce a autores que s
rían fundamentales para su vida como Guillermo de T
rre, Rafael Cansinos-Assens y Ramón Gómez de
Serna, entre otros.

Después de siete años de estancia en Europa regre
a Buenos Aires y funda con Macedonio Fernández
primera revista *Proa*.

Fervor de Buenos Aires (1923) es su primer libro
poemas, en el cual aparece retratado su amor por la c
pital argentina, sus calles, sus costumbres y su perm
nente atmósfera fantasmal.

Para este momento, el ambiente cultural argenti
vive los últimos ecos del modernismo y Borges trae
Europa toda la influencia de las culturas francesa, i
glesa y alemana, de la que extrae elementos para inco
porarlos a su expresión castellana.

Y ahí comienza a formarse la voz borgiana. La r
flexión sobre el hombre y su fugacidad en la tierra,
recuerdo de una Europa naciendo nuevamente entre l
escombros después de la guerra, el amor por los subu
bios y la soledad y la melancolía del hombre citadin
delimitan el acento íntimo de alguien que creció h
blando dos idiomas distintos, sin saber que eran idi

mas distintos sino dialectos que hablaban sus dos abuelos respectivamente.

Luego de la edición del libro de poemas, una irreversible carrera de publicaciones se inicia en Jorge Luis Borges para dejar como herencia más de un centenar de títulos entre relatos, poesía, ensayos, traducciones y recopilaciones sobre distintos temas.

En menos de un año publica su segundo libro de poemas *La luna de enfrente*, el de ensayos *El tamaño de mi esperanza* y junto al poeta chileno Vicente Huidobro y Alberto Hidalgo realiza el *Índice de la nueva poesía hispanoamericana.*

En 1932 en casa de Victoria Ocampo, fundadora de la revista *Sur*, conoce al escritor Adolfo Bioy Casares con quien se establece una especial amistad que deja como herencia a las letras una de las más fértiles producciones literarias.

Continúa publicando sus ensayos reflexivos sobre la literatura y el hombre y en colaboración con otros autores realiza varias antologías de poesía argentina y prólogos a distintos escritores.

En 1938 muere su padre e ingresa como auxiliar de la Biblioteca Nacional. Un pequeño accidente en nochebuena le cambia el normal curso de la vida al escritor. Su madre doña Leonor Acevedo afirmó que luego de la convalecencia cambió en Borges la visión del mundo y de nombrar las cosas y de un lenguaje realista pasa a una expresión fantástica.

El accidente ocurrió cuando Borges encuentra dañado el ascensor del edificio donde vivía y decide subir por las escaleras en tinieblas. En el trayecto algo le rozó la cara, creyendo él que se trataba de un pájaro o un murciélago cuando en realidad se trataba de un pedazo de vidrio de una ventana recién pintada que le ensangrentó la cara, lo que le produjo una infección que desembocó en una septicemia.

Al parecer durante la convalecencia, las continuas fiebres desencadenaron en una serie de continuas pesadillas que lo llevaron a reflexionar sobre el problema del destino, el tiempo y el infinito, con la idea que el destino es ciego y es despiadado con las mínimas distracciones.

"Debo mi primera noción del problema del infinito a una gran lata de bizcochos que dio vértigo y misterio a mi infancia. Era una lata adornada con una escena japonesa de niños guerreros que en un costado se repetía indefinidamente", y este recuerdo habitó a Borges durante los días de la convalecencia.

Es nombrado director de la Biblioteca Nacional y por la misma época comienzan sus irreversibles problemas de visión. Borges, quien había afirmado que imaginaba el Paraíso en forma de una enorme biblioteca, escribe su famoso poema de *Los dones* celebrando la jugada que le había propinado Dios:

> "Nadie rebaje a lágrima o reproche
> Esta declaración de la maestría
> De Dios que con magnífica ironía
> Me dio a la vez los libros y la noche".

La *Antología de la literatura fantástica,* que publica con Bioy Casares y la esposa de éste, la escritora Silvina Ocampo, en 1940 se constituye en la más completa recopilación sobre el tema y en los inicios de un tono mágico que años más tarde transformaría el colombiano Gabriel García Márquez para crear su realismo mágico.

En 1942 junto a Bioy Casares, bajo el seudónimo de Honorio Bustos Domecq en homenaje a los apellidos de sus respectivos abuelos, publican una serie de cuentos policíacos.

En adelante, inicia una serie de viajes dictando conferencias, recibiendo doctorados *Honoris Causa* y publicando lo mejor de su obra: *Ficciones* (1944), *El Aleph* (1949), *El Hacedor* (1960), *El Informe de Brodie* (1970) y *El libro de Arena* (1975), entre otros.

Borges era un excelente contradictor de lo que sonara a actualidad. Fue opositor de toda dictadura totalitaria, pero igualmente no creía en las democracias occidentales. Bajo el gobierno de Juan Domingo Perón es destituido de su cargo en la Biblioteca Nacional y es nombrado inspector de pollos en el área de mercados. Renuncia y varios grupos de escritores e intelectuales ofrecen actos de desagravio.

A pesar de ser argentino de tiempo completo y de tomar raíces criollas para su pensamiento, Borges detestaba dos símbolos fundamentales de la cultura argentina: el tango y el fútbol. Del tango, afirmó que era deleznable, popularizado por Carlos Gardel, y del fútbol afirmó "eso es cosa de ingleses y como a los argentinos nos gusta copiar, copiamos el fútbol. Yo he copiado a los ingleses pero en literatura: Shelley, Keats, Wordsworth".

Continúa recorriendo el mundo recibiendo honores, publicando, llevando su magisterio por distintos países del mundo.

En 1976 hace una gira por Chile. La dictadura de Augusto Pinochet le confiere la Orden al Mérito Bernardo O'Higgins en el grado de Gran Cruz, acto que fue repudiado por muchos intelectuales del continente y fue para muchos la principal causa para que nunca le fuera otorgado el Premio Nobel de Literatura.

En marzo de 1986 se instala en la ciudad de Ginebra acompañado de María Kodama, quien fuera su acompañante, secretaria durante muchos años y con quien contrae matrimonio al mes siguiente.

El 14 de junio del mismo año fallece en esta ciudad y es enterrado en el cementerio de Plainpalais, ofrecido como honra póstuma por el Concejo Municipal de Ginebra a las figuras notables.

PERSONAJES DE *EL ALEPH*

EL INMORTAL

Josep Cartaphilus: Anticuario de aspecto consumido y rasgos singularmente vagos, quien ofreció a la princesa de Lusinge los seis volúmenes de la Ilíada de Pope, en uno de los cuales se encontró el manuscrito que contenía esta historia.

Flavio: Procónsul de Getulia, entrega doscientos soldados sumados a la fuerza, que tenían como objetivo principal la búsqueda de la ciudad de los inmortales.

Marco Flaminio Rufo: Tribuno militar de una de las legiones de Roma, que parte de Arsinde, atravesando el desierto en busca de la ciudad de los inmortales, donde luego de numerosas deserciones y algunos motines, padece herido y solitario en medio de la sobrehumana ciudad.

Argos: Troglodita que acompaña a Marco Flaminio Rufo, desde su partida de la ciudad de los inmortales y luego le conduce a la comprensión de la inmortalidad.

El MUERTO

Azevedo Bandeira: Hombre de rasgos fuertes, jefe de numerosos negocios, dentro de los cuales el principal era el contrabando. Máximo líder dentro de su organización.

Benjamín Otálora: Hombre joven de ojos claros y reciedumbre vasca, viaja a Montevideo en busca de Azevedo Bandeira, a quien luego, impulsado por su ambición, intenta desplazar para asumir su posición de líder.

Ulpiano Suárez: Fiel guardaespaldas de Azevedo Bandeira, que se presta para la trampa tendida a Otálora.

Mujer de Pelo Rojo: Compañera de Azevedo, permite amores con Benjamin Otálora.

LOS TEÓLOGOS

Juan De Panonia: distinguido por un tratado sobre el séptimo atributo de Dios, finalmente tildado de hereje. Rival teológico de Aureliano.

Aureliano: coadjutor de Aquilea. Descubre una oración que significaría la muerte en la hoguera para su rival Juan De Panonia. Llevado por la culpa se refugia en la soledad donde encuentra la muerte.

Agustín: Escribió que Jesús es la vía recta que nos salva del laberinto circular en que andan los impíos.

HISTORIA DEL GUERRERO Y LA CAUTIVA

La Abuela: Ofrece protección a la india, al descubrir que las dos provenían de Inglaterra.

Droctulft: Guerrero lombardo que durante el asedio de Ravena abandonó a los suyos y murió defendiendo la ciudad que antes había atacado.

Mujer India: Inglesa que opta por la vida del desierto y que lo convierte en su tierra y lugar de vida.

BIOGRAFÍA DE TADEO ISIDORO CRUZ

Isidora Cruz: Madre de Tadeo Isidoro.

Tadeo Isidoro Cruz: Valiente gaucho envuelto en un mundo de barbarie que comprende su destino gracias a Martín Fierro, quien enfrentó una situación similar a la suya.

Martín Fierro: Desertor de las fuerzas de la frontera sur, comandadas por el coronel Benito Machado.

EMMA ZUNZ

Emma Zunz: Hija de Emmanuel Zunz, que busca vengarse de Aarón Lowenthal por la muerte de su padre.

Emmanuel Zunz: También conocido como Manuel Maier, ingiere por error una fuerte dosis de Veronal.

Aaron Loewenthal: Fue quien realizó el desfalco e implicó al padre de Emma para después causar su muerte. Llegó a ser gerente de la empresa donde tiempo después muere por el plan trazado por Emma Zunz.

Elsa Urstein: Mejor amiga de Emma Zunz

LA CASA DE ASTERIÓN

Teseo: quien da muerte al *Minotauro*.

Asterión: Es el mismo *minotauro*. Único habitante de la casa (laberinto), que espera pacientemente a su redentor.

LA OTRA MUERTE

Pedro Damián: Personaje que se ve envuelto en dos realidades paralelas que exponen la cobardía y la valentía respectivamente. Trabajó como peón en una estancia de Río Negro. Combatió en Masoller.

Coronel Dionisio Tabares: Comandante de las tropas en Masoller. Da su versión acerca de la cobardía de Pedro Damián en dicha batalla.

Juan Francisco Amaro: Militante de la Revolución de Saravia. Da fe de la valentía de Pedro Damián.

DEUTSCHES RÉQUIEM

Otto Dietrich Zur Linde: Miembro del ejército alemán que espera su ejecución en medio del regocijo. Fue encontrado culpable de tortura y asesinato.

Chiristoph Zur Linde: Murió en la carga de caballería que decidió la victoria Zorndorf.

Ulrich Forkel: Bisabuelo materno de Christoph. Asesinado en la Foresta de Marchenoir por francotiradores franceses.

David Jerusalem: Hombre perseguido, pobre de bienes, vituperado. Consagró su genio a cantar la felicidad.

LA BÚSQUEDA DE AVERROES

Ghazali: Autor del *TAHAFUT - UL- FALASIFA*, (destrucción de filósofos).

Abulcasim Al-Ashari: Dijo haber alcanzado los reinos del imperio de Sin (de la China). Cena con Averroes en casa de Farach.

Farach: En la cena realizada en su casa, expone largamente la doctrina ortodoxa y hace referencia a la escritura como una creación de los hombres, junto con el idioma y los signos.

Abdalmalik: Poeta que refiere en la cena de Farach la conveniencia de reformar las antiguas metáforas, pues tantos siglos de admiración las habían gastado.

Averroes: Trabajaba en la traducción del *Tahafut-Ul-Falasifa (destrucción de filósofos)*, encontrando inconvenientes, tales como el desconocimiento del siriaco y del griego y de la definición de las palabras tragedia y comedia.

El ZAHIR

Nadir Shahi: hizo arrojar en el fondo del mar una pequeña brújula, que Rudolf Carl Von Slatin tocó envuelto en un turbante. Sólo se hace referencia de este personaje para entender la connotación mística del Zahir.

Teodelina Villar: Buscaba lo absoluto en lo momentáneo, su vida era ejemplar pero ensayaba numerosas metamorfosis para escapar de sí misma. Aparecía su retrato en anuncios de cremas y automóviles.

Borges: Recibe el Zahir que se convierte en su obsesión, luego de la muerte de Teodelina Villar.

LA ESCRITURA DEL DIOS

Tzinacan: Mago de la pirámide de Qaholom, último sacerdote del Dios que escribió el primer día de la creación, una sentencia mágica para conjurar las ruinas y males que vendrían.

Pedro de Alvarado: causante del incendio de la pirámide y del tormento de Tzinacan.

ABENJACAN EL BOJARI, MUERTO EN SU LABERINTO

Duraven: narra la historia acerca de la muerte de Abenjacan el Bojari a su amigo Unwin.

Unwin: Amigo de Duraven que finalmente descifra el verdadero sentido de la historia narrada.

Abenjacan el Bojari: Caudillo de una tribu Nilótica, que muere en la cámara central de la casa laberíntica.

Zaid: Muere asesinado por Abenjacan el Bojari, su primo, por el hecho de no querer compartir el tesoro que guardaban, fruto de la explotación a las tribus del desierto.

Allaby: Rector que divulga desde el púlpito la historia de un rey que es castigado por erigir un laberinto. Sigue los pasos de Abenjacan el Bojari en el desarrollo de su misteriosa obra.

LOS REYES Y LOS DOS LABERINTOS

Rey de Babilonia: Congrega a sus arquitectos para la construcción de un laberinto confuso y maravilloso a la vez.

Rey de Arabia: Entra al laberinto construido por el rey de Babilonia, con el objetivo de ser burlado y confundido.

LA ESPERA

Villari: Intelectual, lector del Dante. Habla perfectamente español e italiano.

EL HOMBRE EN EL UMBRAL

David Alexander Glencairn: escocés, del clan de guerreros, apuesto. Es enviado por el gobierno central de una ciudad musulmana a imponer el orden.

Narrador: Sirve de juez y realiza la búsqueda e investigación

EL ALEPH

Beatriz Viterbo: Dama de la alcurnia de Buenos Aires. Murió en 1929.

Carlos Argentino Daneri: Primo hermano de Beatriz Viterbo. Canoso de rasgos finos. Ejercía un cargo subalterno en una biblioteca de los arrabales del sur.

Narrador: Se supone que es el mismo Borges, quien debe escuchar los fatigosos y largos poemas de Daneri.

PERSONAJES DE *EL INFORME DE BRODIE*

LA INTRUSA

Eduardo Nilsen: El menor de los dos hermanos Nilsen que relata la historia en el velorio de Cristian, el hermano mayor que muere de muerte natural.

Cristian Nilsen: El hermano mayor, autoritario y sobreprotector con su hermano menor.

Juliana Burgos: Esposa de Cristian que se va a vivir con ellos y termina teniendo relaciones con ambos y enamorada de Eduardo.

EL INDIGNO

Santiago Fischbein: Dueño de la librería Buenos Aires. Fallecido hace algún tiempo y es a quien el narrador recuerda en sus conversaciones.

Ferrari: Hombre mayor que frecuenta la librería y tiene inquietudes intelectuales.

Eliseo Amaro: Hombre con la característica particular de una cicatriz en la cara.

LA HISTORIA DE ROSENDO JUÁREZ

Rosendo Juárez: Hombre autoritario, de bigote espeso que frecuentaba todos los cafés de Buenos Aires.

Clementina Juárez: Madre de Rosendo Juárez. Vivía del planchado de ropa.

EL ENCUENTRO

Maneco Uriarte: Personaje petulante, moreno achinado y movedizo. En una riña mata a Duncan.

Duncan: Personaje alto, robusto inexpresivo buscapleitos.

JUAN MURAÑA

Juan Muraña: Malevo, cuchillero del sector de Palermo de Buenos Aires.

Trapani: Sobrino de Juan Muraña y quien narra a Borges la historia de su tío.

LA SEÑORA MAYOR

María Justina Rubio de Jáuregui: Era la única hija de guerreros de la independencia, que sobrevivía a comienzos de siglo y que estaba próxima a cumplir sus cien años.

Bernardo Jáuregui: Médico cirujano. Muere de fiebre amarilla.

EL DUELO

Clara Gleincairn de Figueroa: Mujer altiva pelirroja de la sociedad porteña, que luego de la muerte de su marido diplomático se dedica a la pintura.

Marta Pizarro: Dama de iguales condiciones sociales y económicas de Clara y quien además promueve el arte de ésta, desatando poco a poco una rivalidad entre las dos.

EL OTRO DUELO

Carlos Reyles: Hijo del novelista. Narrador de este relato..

Manuel Cardozo: Campesino de vida rudimentaria, que gasta su vida en un odio a Carmen Silveira. Es enrolado en el ejército patrio.

Carmen Silveira: Al Igual que Cardozo, viene de un origen campesino humilde. Corresponde a Cardozo el odio que éste siente por el. Lo vinculan también al ejército patrio.

GUAYAQUIL

Eduardo Zimmermann: Profesor de la Universidad del Sur. Historiógrafo. Expulsado de su país por el Tercer Reich. Adquirió la ciudadanía argentina.

Narrador: Se presume, como en la mayoría de relatos, que se trata de Borges, quien tiene la misión de publicar las históricas cartas de Bolívar a San Martín.

EL EVANGELIO SEGÚN SAN MARCOS

Baltazar Espinosa: Estudiante de medicina, bondadoso, mal jugador. Le desagradaba ganar.

Los Gutres: Padre, hijo y una muchacha de incierta paternidad. Son altos, fuertes, pelirrojos, de caras aindiadas, desconfiados, campesinos.

EL INFORME DE BRODIE

David Brodie: Misionero escocés oriundo de Aberdeen, que predicó la fe cristiana en el centro de África y en regiones selváticas del Brasil. Redacta un manuscrito que traduce Borges, donde se plasman sus vivencias y sus visiones de los aborígenes.

ARGUMENTO PASO A PASO DE *EL ALEPH*

EL INMORTAL

Marco Flaminio Rufo, tribuno militar de una de las legiones de Roma, acuartelada en Berenice, frente al mar Rojo, luego del triunfo reportado sobre Alejandría y las ciudades rebeldes e impulsado por su propia decepción decidió partir en busca de la Ciudad de Los Inmortales, rica en baluartes, anfiteatros y templos, bañada por un río en cuyas aguas se escondía la vida eterna.

Flavio, procónsul de Getulia, entregó a Marco Flaminio doscientos soldados, que junto a los mercenarios conformaban el pie de fuerza que partió de Arsinoe. Se internaron en el desierto y en la búsqueda de su objetivo, se internaron en el país de los Trogloditas, devoradores de serpientes, el de los Garamantas, hombres de mujeres en común que se alimentaban de leones.

Algunos temerarios durmieron con la cara expuesta a la luna, la fiebre los ardió, en el agua depositada de las cisternas otros bebieron la locura y la muerte; comenzaron entonces las deserciones y los motines. Marco Flaminio huye en compañía de pocos soldados que le guardaban lealtad; errantes en medio del desierto uno a uno desaparecen.

Maniatado en un nicho de piedra, luego de varios días de padecimiento, desenredado al fin de su pesadilla, a través del declive de una montaña, Marco observa los muros, frontispicios y foros de la anhelada ciudad, fundamentados sobre una meseta de piedra. La montaña y el valle estaban surcados por un centenar de nichos de donde emergían los Trogloditas, hombres de piel gris y espesas barbas.

Ya en la ciudad, que de cerca adquiría características sobrehumanas, desesperado por la sed, la impotencia, abandonado al destino, sin contar con la piedad o la impiedad de los Trogloditas, decide partir a la hora en que todos salían de las grietas a observar el poniente.

Lo hace en ese momento, acompañado paradójicamente de un integrante de la tribu; en su viaje debajo de una luz remota, una serie de peldaños le condujeron hacia un increíble y antiquísimo monumento, una ciudad resplandeciente, atribuida solamente al trabajo de obreros inmortales. Al explorar aquel lugar descubrió que carecía de fin, abundaban las escaleras inversas, ventanas inalcanzables, balaustradas al costado de algún muro; todo esto le causó un sentimiento de repulsión y el singular impulso de un olvido momentáneo.

Al salir del último sótano, en la boca de la caverna encontró al hombre de la tribu, trazando torpemente una hilera de signos. En ese momento, para Marco se hacía absurdo imaginar que hombres que no llegaron a la palabra llegasen a la escritura.

Marco observaba la humildad y miseria en aquel hombre, hecho que trajo a su memoria la imagen de Argos, el perro moribundo de *La Odisea*, así que adoptó ese nombre y trató infructuosamente de enseñárselo. Todo se dilucidó para Marco momentos después, cuando Argos en medio de un balbuceo desató estas palabras: "Argos perro de Ulises" "este perro tirado en el estiércol", ¿que sabes de la Odisea? "Menos que el rapsoda más pobre" " ya habrán pasado mil años desde que la inventé".

La conclusión era clara, los trogloditas eran los inmortales, el río de las aguas milagrosas. En cuanto a la ciudad, nueve siglos haría que los inmortales la habrían destruido y con las reliquias de su ruina erigieron la ciudad absurda. Absortos, casi no percibían el mundo físico, su manera de vida se resumía al pensamiento. Entre los inmortales, cada palabra, cada acto y pensamiento eran el eco de otros pensamientos que en el pasado le antecedieron y sólo un hombre inmortal puede repetirse o convertirse en la sombra de otros hombres y acontecimientos reflejados en sí mismos, como una corte de infatigables espejos que difícilmente hallarán el fin dentro de sí.

EL MUERTO

Benjamín Otálora, proveniente de un suburbio de Buenos Aires, parte hacia Montevideo llevando consigo una carta para Azevedo Bandeira, carta que nunca llega a su destino. Luego de una tormentosa travesía Otálora descubre a Azevedo en medio de un altercado con armas blancas. Bandeira resultó ser, en medio de otros negocios, capitán de contrabandistas.

En el momento hay cierta empatía entre Otálora y Azevedo, quien le invita al norte con los demás a traer un cargamento. Allí empieza para Otálora una vida distinta de vastos amaneceres y largas jornadas, soportada gracias a su formación gaucha.

Transcurrido un año, Otálora regresa a la casa del patrón con el único objetivo de convertirse en jefe de contrabandistas. A su llegada encuentra a Bandeira algo enfermo, acompañado por su mujer, clara y desdeñosa, que lucía su cabellera roja.

Benjamín inicia lentamente la tarea de suplantación de Azevedo y para tal efecto se vale de la amistad de Suárez (su hombre de confianza y guardaespaldas), quien promete ayudarle en el desarrollo de su plan.

Un medio día, luego de un tiroteo con gente riograndence, Otálora usurpa el lugar de Bandeira y manda a los orientales. Regresa herido en el caballo del jefe y esa misma noche duerme con la mujer de cabellos rojos.

En la última noche de agitación de 1894, los hombres beben y festejan; en la cabeza de la mesa, Otálora erige júbilo sobre júbilo, mientras Bandeira deja que fluya la noche, al tocar las doce, como quien recuerda una obligación, Bandeira se levanta dirigiéndose al cuarto de la mujer. Allí le reclama por sus amores con el porteño y de una manera brutal la arrastra y empuja sobre Otálora, ella en medio del llanto lo besa. Suárez empuña el revólver y en ese momento, antes de morir, Benjamín comprende que desde el principio ha sido traicionado, que le fue permitido el amor, el mando y el triunfo porque ya lo daban por muerto, porque para Bandeira ya estaba muerto. Suárez casi con desdén hace fuego.

LOS TEÓLOGOS

Juan de Panonía y Aureliano, dos teólogos envueltos en conceptos disímiles acerca de la religión, inician una lucha de teorías propuestas y establecidas, como los monótonos quienes profesaban que la historia es un círculo y nada es que no haya sido y que no será, los heréticos de la rueda, y los estoicos. Fue el tiempo de la destrucción de la biblioteca monástica por parte de los hunos quienes pensaban que las letras escondían blasfemias contra su dios.

En el momento en que Aureliano escribía una tesis acerca de que no hay dos instantes iguales, una oración de veinte palabras se presentó a su espíritu; lo inquietó la sospecha que era ajena y su autor sería sentenciado a la hoguera por su contenido, recordó la autoría del texto incluida en *Adversus Annulares* compuesta por Juan de Panonía.

Aureliano lo denuncia y el autor es condenado a muerte en la hoguera y Aureliano busca en medio de la soledad mitigar su culpa.

En un lugar tan atemporal como el cielo, siente en su cuerpo el dolor del fuego. De esta manera el ortodoxo y el hereje, el aborrecedor y el aborrecido formaron una sola persona.

HISTORIA DEL GUERRERO Y LA CAUTIVA

Esta historia presenta claramente una singular analogía entre dos destinos: uno de ellos, Droctulft, guerrero lombardo que parte hacia Ravena guiado por el aroma del combate. Allí le sorprende algo que no había visto jamás o con plenitud: la ciudad, sus cipreses y el mármol, un oranismo hecho de estatuas, templos y jardines, pero sin embargo lo toca, como a nosotros tal vez lo haría una maquinaria compleja cuyo fin ignoramos. Esta revelación lo renueva y con una fe superior a la depositada en sus dioses pelea por Ravena.

En el segundo, una mujer inglesa de nacimiento, cuyos padres ya desaparecidos la trajeron a Buenos Aires. Allí fue llevada por los indios y ahora era mujer de una capitanejo, con quien tenía dos hijos. En su camino se cruza con otra mujer de su natal Inglaterra, con ella cruza algunas palabras en su casi olvidado idioma; en sus escondidos ojos azules se vislumbraban los toldos de cuero de caballo, la hogueras de estiércol, los festines de carne chamuscada, la vida que no quería abandonar.

Los dos son irrecuperables, los abrazó un ímpetu secreto más hondo que la razón.

BIOGRAFÍA DE TADEO ISIDORO CRUZ

Tadeo Isidoro Cruz, gaucho con evidente influjo de la llanura en su formación y un marcado rechazo por la ciudad, da muerte a un peón que borracho menudeaba sus burlas, debido a que Cruz se resistía a entrar a Buenos Aires.

Cuando en 1849 se dirigía con una tropa del establecimiento de Francisco Javier Acevedo, prófugo y cercado por la policía, decide luchar hasta el cansancio. Como castigo es llevado a las filas como soldado raso y luego de corregir su pasado es nombrado sargento de la policía rural.

En 1860 recibe la orden de apresar a un maleante, sindicado de dos muertes y deserción de las fuerzas que en la frontera sur comandaba el coronel Benito Machado. Acosado por la tropa que iba en su búsqueda, el criminal huye y valientemente lucha hasta el cansancio. En ese momento, Tadeo Isidoro Cruz comprendió su más íntimo destino y no iba a permitir que se matara a un valiente y peleó en contra de los soldados junto al desertor Martín Fierro.

EMMA ZUNZ

El catorce de enero de 1922, Emma Zunz al volver de la fábrica de tejidos *Tarbuch y Loewenthanl,* encontró una carta fechada en el Brasil, por la cual supo que su padre había muerto. En la carta firmada por un amigo se supo que su padre ingirió una fuerte dosis de Veronal.

En ese momento, en medio del llanto, recordó a su madre, la casita de Lanús que fue rematada y los anónimos que hacían referencia al desfalco del cajero. Nunca olvidó que su padre la última noche le juró que el ladrón era Loewenthal, antes gerente y ahora uno de los dueños.

En la fábrica había rumores de huelga. Emma, mientras tanto, comenzaba a maquinar su venganza. Leyó que esa noche zarparía el *Nordstjaran* del dique tres; se dirigió a ese lugar, llamó a Loewenthal e insinuó que le quería comunicar algo sobre la huelga. Entró a dos o tres bares y dio finalmente con los marinos, escogió a uno de ellos y luego de imitar la rutina de las otras mujeres en el bar, Emma sirvió para el goce y él para la justicia.

Emma se dirigió a la fábrica y allí sentada, tímida, al frente de Loewenthal pronunció algunos nombres, dio a entender otros y logró que Loewenthal saliera a buscar un vaso con agua. En ese momento sacó del escritorio un revólver, que sabía de antemano que allí se guardaba. Mientras apresuraba la acusación que le tenía preparada, apretó el gatillo dos veces; luego tomó el teléfono y repitió: “ha ocurrido una cosa terrible, el señor Loewenthal me hizo venir con el pretexto de la huelga... abusó de mí y lo maté...”.

La historia se creyó porque relativamente era cierta, sólo eran falsas las circunstancias y uno o dos nombres propios.

LA CASA DE ASTERIÓN

La casa de Asterión resulta ser un laberinto de lugares infinitos, donde no hay un solo mueble, sólo innumerables azoteas, infinitos abrevaderos, patios y aljibes y la soledad como una constante que le juega malas y buenas pasadas cuando se acompaña de su imaginación.

Asterión espera su redentor, así como cada nueve años él se convierte en el redentor de nueve hombres. Mientras se pregunta qué aspecto tendría su redentor, el sol de la mañana y la espada de bronce de Teseo le liberan de su tormentosa existencia.

LA OTRA MUERTE

La historia nace a partir del argumento del poema *The Past* de Ralph Waldo Emerson, que versa sobre la irrevocabilidad del pasado y se desenvuelve en torno a Pedro Damián, quien en su lecho de muerte arrasado por la fiebre y en medio del delirio, revive la sangrienta jornada de Masoller.

A partir de conjeturas y falsos recuerdos, el narrador en busca de la verdad, acude a las versiones del coronel Dionisio Tabares, quien da fe de la cobardía de Pedro Damián y Juan Francisco Amaro que afirmaba lo contrario.

Pedro libraba su propia batalla, su conciencia sabía acerca de su cobarde comportamiento en el campo de batalla y dedicó su vida a corregir esa flaqueza, no alzó la mano a ningún hombre, no buscó fama de valiente; pensó que si el destino le regalaba otra batalla sabría merecerla. La aguardó durante cuarenta años y en la hora de su muerte la trajo en forma de delirio y sólo así consiguió lo que su corazón anhelaba.

DEUTSCHES RÉQUIEM

Otto Dietrich Zur Linde, militante del ejército alemán, después de haber sido encontrado culpable de tortura y asesinato es sentenciado a muerte y horas antes de su ejecución manifiesta su tranquilidad.

Sin negar nunca su culpa, refiere una reflexión acerca de la guerra y la religión, citando autores como Nietzsche, Spengler y Shakespeare, entre otros. Recordó a sus antepasados y al nazismo como un hecho moral que encerraba la redención y el amor. Al enfrentarse con el fin, en medio del regocijo, supo que solamente su carne tendría miedo.

LA BÚSQUEDA DE AVERROES

Averroes realizaba una traducción del *Tahafut-Ul-Falasifa* (destrucción de filósofos) del poeta asceta Ghazali, enfrentado dificultades tales, como su desconocimiento del siriaco y el griego. Por tal motivo, trabajaba sobre la traducción de una traducción y dos palabras cuyo significado le detuvieron en el comienzo de la poética: "tragedia y comedia".

Se refugia en la búsqueda de libros referentes al tema y disertaciones como la realizada en la casa de Farach, donde se discute acerca de la poesía y sus antiguas metáforas y la participación de Dios y el hombre en la escritura.

A partir de esa búsqueda, el autor refleja el proceso de la derrota de Averroes, la impotencia de no lograr concluir un hecho que para muchos sería insólito, pero para él la razón de su vida.

Finalmente manifiesta su derrota reflejada en Averroes; ellos como un solo personaje enfrentado al absurdo, como los alquimistas en busca de la piedra filosofal.

EL ZAHIR

El seis de junio de 1930 muere Teodolina Villar. Se preocupaba en vida menos de la belleza que de la perfección, buscaba lo absoluto en lo momentáneo. Su vida era ejemplar, pero sin embargo, la roía sin tregua una desesperación interior, que convertía su vida en una constante metamorfosis.

Al salir Borges de la última visita a quien fuera su más cercana amiga, en una tienda cercana recibe el Zahir, que a partir de ese momento y perdiendo su condición de moneda se convierte para él en una obsesión absoluta. Le inquietaba el hecho de no poder apartar su pensamiento de aquella moneda; para tal efecto intentó componer un relato fantástico con dos o tres perífrasis enigmáticas, escrito en primera persona. Pero en las noches en que se creía seguro de poder olvidarla, voluntariamente la recordaba.

Optó por consultar un siquiatra, a la par que buscaba algún libro que encerrara su mal. Recordó que a finales del siglo XVIII, un tigre fue Zahir en Java. Tal vez si eso era posible, por qué no pensaba en el Zahir como una deidad o tal vez como una transformación del sueño y la realidad.

Aún camina por las calles, pensando que gastará el Zahir a fuerza de pensarlo y quizás detrás de esa moneda podrá algún día encontrar a Dios.

LA ESCRITURA DEL DIOS

Tzinacán yace en medio de una prisión, en la que cree se encierra el misterio del escrito de Dios, que se resumía a una mágica sentencia que podía conjurar las ruinas y los males que vendrían a la humanidad.

Tzinacán va develando sus años y entrando en posesión de aquel concreto enigma que le atareaba; confundido por la forma de su destino pensó que un hombre es sus circunstancias.

Luego de un sueño donde le sofocaba la arena, pudo ver una rueda de luz altísima que estaba en todas partes. Ahí estaban las causas y los efectos y le bastaba sólo con ver la rueda para descifrarlo todo. Vio las montañas, los primeros hombres, los infinitos procesos que formaban una sola felicidad, comprendió la escritura del tigre, habitada por una fórmula de catorce palabras y le bastaba decirla para abolir la cárcel de piedra, para ser joven o inmortal. Pero pensó que con él debería morir el misterio, que quien ha visto los destinos del universo, no puede pensar en un solo hombre. Por eso no pronunció la fórmula; por eso prefirió ser olvidado acostado en la oscuridad.

ABENJACÁN EL BOJARI, MUERTO EN SU LABERINTO.

Duraven y Unwin, grandes y jóvenes amigos, seducidos por el negro paramo y la soledad de un confín de Cornwall, se adentran el la historia de Abenjacán el Bojari, caudillo o rey de una tribu del desierto que erige una casa en forma de laberinto con el objetivo de refugiarse en su centro y huir así de sus culpas.

Hacia la media noche descubrieron una ruinosa puerta que daba a un corredor ciego. La casa parecía ahogarlos con sus ángulos y techos bajos; Unwin, en medio de la sombra, escuchó de su amigo la historia de la muerte de Abenjacán el Bojari.

Duraven narró el estupor que causó la casa de Abenjacán, pues era insólito que una casa constara solamente de una habitación y leguas de corredores. Dijo también, que Allaby, el rector de los dos, advirtió los peligros a Abenjacán si construía la casa e hizo referencia del rey que recibió un castigo divino por erigir un laberinto.

Abenjacán el Bojari rigió las tribus del desierto en compañía de su primo Zaid y les explotaron de tal manera que tuvieron la necesidad de huir luego de su rebelión. En el camino, Zaid quien tenía fama de cobarde, dormía plácidamente mientras le velaba Abenjacán el valiente. En ese momento, llevado por la ambición y para evitar que Zaid reclamara su parte del tesoro Abenjacán le atraviesa la garganta con su daga. En su agonía, Zaid balbuceó: "Como ahora me borras, te borraré, donde quiera que estés".

Abenjacán decide frustrar la amenaza de Zaid construyendo y ocultándose en el centro de un laberinto, para confundir su fantasma. Luego de tres años instalado en el centro del laberinto, aterrorizado irrumpió en la casa de Allaby afirmando que Zaid había entrado al laberinto y que su esclavo y el león habían perecido. Transcurrido un corto tiempo fueron encontrados por Allaby, Abenjacán y su esclavo muertos y con la cara destrozada. En ese momento Unwin interrumpe el relato, lo tacha como una mentira y pensó haber descifrado la verdadera historia. Dijo entonces: Zaid el cobarde veló la primera noche, pues es lógico que no podría dormir en medio del bosque, mientras el valiente dormía, escondió parte del tesoro y para atraerlo construyó a la vista del mar el alto laberinto y al interior, en el último de sus corredores le esperaba una trampa. Abenjacán desembarcó, barajó los ciegos corredores y Zaid lo mató. Lo esencial para él no era el tesoro, lo esencial era que Abenjacán pereciera. Si confirmo, Duraven, fue un vagabundo que antes de ser nadie en la muerte recordaría haber fingido ser un rey algún día.

LOS DOS REYES Y LOS DOS LABERINTOS

El rey de Babilonia encarga a sus magos y arquitectos la construcción de un laberinto confuso, perplejo y maravilloso, en el cual invita a entrar al rey de Babilonia. Para burlar la simplicidad de su huésped, sin proferir palabra se retira, pero planea el regreso. Junto a sus alcaides y capitanes derriba sus castillos y hace prisionero al rey y sobre un camello, lo envía al desierto; allí le desata y le enseña su laberinto, donde no hay escaleras ni puertas engañosas y le abandona. El rey de Babilonia, sin poder descifrar el laberinto, muere de hambre y sed.

LA ESPERA

Éste es un relato de la intemporalidad, que narra la historia de un personaje que llega a vivir a una vieja casa de huéspedes, después de haber sido asesinado, en la espera de reconstruir los hechos y de ahí hacer una reflexión sobre el suceso que lo llevó al territorio de la muerte. El personaje toma el nombre del asesino: Alejandro Villari.

Villari, entre tanto, habita la casa, emprende lecturas de autores clásicos argentinos y universales, recorre todos los rincones de la vivienda a diario, se hace amigo del perro, hasta el día en que los asesinos arriban al lugar para buscarlo.

EL HOMBRE EN EL UMBRAL

David Alexánder Glencairn es un apuesto escocés perteneciente al Clan de Guerreros, que es enviado por el gobierno central de una indeterminada ciudad musulmana para imponer el orden.

Un buen día, habiendo cumplido con parte de su cometido en la ciudad, Glencairn desapareció, entre rumores de que lo habían asesinado.

El narrador del relato, que igualmente hace el papel de juez, inicia una intensa búsqueda con el fin de realizar una profunda investigación sobre el paradero desconocido de Glencairn.

Entre los azares de la búsqueda, el juez es secuestrado por un cristiano quien lo encierra en una alquería. Éste no duda en afirmar que se trata de la misma persona que ejecutó la desaparición del escocés, así que comenzó a interrogarlo, sobre todo sobre el destino de los conjurados, aquella raza que se encontraba en la mira de dicho cristiano para perjudicarla. El acusado dijo que todos ellos corrían peligro.

En determinado momento, el juez en un cotidiano paseo por la alquería que le servía de refugio y lugar de cautiverio, encuentra en el umbral de una caballeriza el cadáver de Glencairn, desnudo, coronado de flores amarillas al fondo de la casa del acusado.

EL ALEPH

Luego de la muerte de Beatriz Viterbo en 1929, se había convertido en un ritual que el narrador (Borges) y Carlos Argentino Daneri, primo hermano de ella, se reunieran en casa de este último todos los 30 de abril, fecha en la que Beatriz cumplía años, con el fin de recordarla alrededor de sus cosas más preciadas.

El ritual se había convertido en un sacerdocio para ellos, hasta el año 1941 en el cual la rutina cambió por una tertulia literaria. Carlos Argentino Daneri sacó de su archivo secreto una serie de fatigosos, cacofónicos y extensos poemas para leérselos a su contertulio, textos que tenía agrupados bajo los títulos de *Canto augural* y *Canto prologal.*

Dos domingos después, Daneri llamó al narrador por teléfono para leerle las correcciones, que éste le había sugerido a algunos de sus poemas y para comentarle una preocupación que le rondaba en esos días.

Así que se encontraron en un café cercano a ambos, donde Daneri le manifestó al narrador que los dueños de su casa la iban a demoler y él debía desalojar lo antes posible y él consideraba que para terminar el poema era indispensable la casa pues en el sótano había un Aleph que el había descubierto desde la niñez y lo sentía propio.

El narrador no vaciló en acudir al sótano para conocer dicho Aleph y se encontró con que un Aleph es uno de los puntos del espacio que contiene todos los puntos, una especie de caleidoscopio visible o invisible que angustia a cualquiera que intente describirlo. Finalmente Daneri desalojó la casa y a fines de 1942 la demolieron.

El 1 de marzo de 1943 ocurre un hecho insólito. Carlos argentino Daneri recibe el 2° Premio Nacional de Literatura por su extenso y pésimo poema, mientras el narrador con una obra mucho más sólida y unitaria no quedó ni entre los mencionados.

¿Pero y el misterio del Aleph? Es todo el infinito, un caleidoscopio. ¿Existe el Aleph en el fondo de una piedra? ¿Acaso uno lo ha visto, cuando ha visto todas las cosas y las ha olvidado? "¿Nuestra mente es porosa al olvido y uno mismo se está falseando y traicionando, derrotando bajo la trágica erosión de los años, acaso los rasgos de Beatriz Viterbo?".

ARGUMENTO PASO A PASO DE *EL INFORME DE BRODIE*

LA INTRUSA

Eduardo Nilsen, el menor de los dos hermanos Nilsen relata la historia en el velorio de su hermano Cristian, el mayor y quien muere de muerte natural.

Ellos eran asociales, solitarios, neuróticos, que tan sólo tenían como compañía una vieja Biblia de caracteres góticos.

La historia comienza a desarrollarse cuando Cristian se casa con Juliana Burgos, una bella dama llegada de provincia y a quien se llevan a vivir con ellos dos. Juliana es muy especial con ambos y esto hace que se vaya creando una relación particular entre los tres, hasta el punto en el que Eduardo reconoce estar enamorado de Juliana, la única mujer con la que han tenido un grado de convivencia, y ésta, por su parte, reconoce un gusto por el menor de los hermanos.

Cristian al enterarse de lo que está ocurriendo, propone a su hermano compartirla, cosa que al comienzo marchaba bien pero que con el paso de los días se deteriora al presentarse celos secretos entre los dos hermanos.

Juliana los complacía a ambos pero fue adquiriendo especial interés por Eduardo.

Ante la situación insostenible, Cristian como cabeza de hogar decide acabar con esa situación y le propone a su hermano vender a Juliana al prostíbulo y repartir el dinero. Hacen el negocio en un burdel un poco lejano de su hogar y repartieron por partes iguales el dinero.

Volvieron a la vida que llevaban antes, pero con abundantes fiestas, juegos y mate. Pero con el curso de los días comenzaron a experimentar sentimientos de ausencia y de añoranza de Juliana, así que decidieron regresar por ella.

Un domingo de marzo, cuando se acostumbraban a una nueva cotidianidad, decidieron de manera conjunta sacrificar a Juliana junto a unos bueyes, por considerarla como una intrusa en la relación de ellos dos.

EL INDIGNO

El narrador comienza a recordar sus encuentros con Santiago Fischbein, dueño de la Librería Buenos Aires ubicada en la céntrica calle de Talcahuano, muy cerca de la Avenida Nueve de Julio, la más ancha del mundo y de la Avenida Corrientes, el centro bohemio y cultural de la capital argentina.

Santiago era un hombre culto y quien recientemente había fallecido. Lo recordaba el narrador como un interlocutor muy ameno, porque contaba sus historias y pequeñas anécdotas de los personajes que visitaban su librería.

Francisco Ferrari quien era asiduo cliente de Santiago era un hombre mayor quien se ganó la confianza de dueño de la librería y a quien poco después traicionaría

Eliseo era de origen malevo, tenía una cicatriz en la cara, de origen desconocido. Entre los tres planearon el asalto al almacén de dulces, que colocaron una vez cerraron la librería luego de la muerte de Santiago.

A pesar de los sentimientos de culpa realizaron el asalto, con tan mala suerte que en una batida policial los cogieron y los llevaron presos, y fue desde la cárcel, desde la sordidez que se vive tras las rejas, como recordamos los días de bohemia intelectual y de amenas tertulias en la Librería Buenos Aires.

HISTORIA DE ROSENDO JUÁREZ

Es un relato de la soledad del hombre cuyo personaje central es Rosendo Juárez, un hombre autoritario de bigote espeso y que con el transcurrir de los años se había convertido en un personaje admirado en los cafés de Buenos Aires, donde relataba sus historias, sobre los crímenes cometidos en los arrabales, los mercados etc.

Relataba historias de diversa índole, de sus amigos, de sus mujeres y de las situaciones que se vivían en los barrios bajos de la capital.

Era un hombre solitario, que había fracasado en todo, en sus relaciones y negocios y que a pesar de haber luchado las batallas que le imponía la vida siempre las perdió. Vivía con su madre doña Clementina Juárez quien lo había mantenido a punta de planchar ropa ajena y quien, a la postre, era el único ser a quien respetaba Rosendo.

La *Historia de Rosendo Juárez*, es la historia de un hombre que vive de su pasado, de narrar los tiempo idos, como único escape al abismo y horror del presente que le toca enfrentar.

EL ENCUENTRO

Ocurrió en 1910, año del centenario de la independencia y del paso del cometa Halley.

Es un breve relato donde se encuentran Maneco Uriarte, alto, moreno, movedizo, achinado y petulante, y Duncan, alto, robusto, inexpresivo, en un partido de póker. En el juego es donde se pone al desnudo, el honor y la lealtad de un hombre.

Tanto Uriarte como Duncan sabían esa ley de honor, además de que ambos provenían del malevaje y de los cuchilleros de Palermo y se enfrentaban en un juego de póker, después de muchos años de estarse siguiendo la pista por provincias y barrios.

Sin embargo Duncan falló y en un azar de descuido saca unas cartas marcadas bajo la mesa, cosa de la que se da cuenta Uriarte y lo enfurece.

Uriarte vociferó que Duncan había hecho trampa y a todo pulmón lo retó a pelear con cuchillo. Pero entre esa ley de malevos, lo que importa es el honor y la riña, no dar muerte al contrincante, desenlace que al final tuvo la historia cuando Uriarte mata a Duncan.

La reflexión final del relato de retratar a Uriarte triste, sollozando la muerte de Duncan, trae a colación la tesis borgiana de que las cosas siempre sobreviven a las gentes, y en este caso los cuchillos sobreviven a los asesinos.

JUAN MURAÑA

Borges después de publicar su célebre ensayo sobre Evaristo Carriego, en el cual retrata la idiosincrasia argentina, sus bajos fondos y los oscuros personajes anónimos del malevaje bonaerense, entra a un café de la Avenida Corrientes, donde lo llama un muchacho desde otra mesa y le dice que leyó su ensayo sobre Carriego y que él le puede hablar de malevaje, pues era sobrino de Juan Muraña, el mayor cuchillero de Palermo.

Así, empiezan una larga conversación que se extendió hasta la madrugada sobre las pequeñas vivencias de Juan Muraña, el hombre que lo reconocían como un puñal y que no había calle de Buenos Aires donde no hubiera caminado este barriobajero personaje.

LA SEÑORA MAYOR

Éste es un relato sobre la dignidad humana, que narra la historia de María Justina Rubio de Jáuregui, la única hija de guerreros de la independencia que no había muerto y que estaba próxima a cumplir sus cien años.

Doña María Justina se había casado con Bernardo Jáuregui, médico que muere de fiebre amarilla poco tiempo después. A pesar de la alcurnia y los buenos apellidos, la situación económica había llevado a menos a doña María Justina y sus hijas, quienes se fueron casando poco a poco, quedando Julia, la menor, como única acompañante de su madre.

Creían ser aristócratas y vivían de decir que eran descendencia de un prócer que no figuraba en ningún manual de historia, hasta que llegó el día de la celebración de los cien años, al cual asistieron personalidades de la aristocracia en decadencia.

Al final de la celebración, se hace una reflexión que después de librar todas las batallas de la vida doña María Justina no era sino una anciana más de Buenos Aires.

EL DUELO

A Clara Glencairn de Figueroa la casaron sus padres muy joven con el doctor Isidro Figueroa, embajador de Argentina en Canadá y figura respetada entre los círculos políticos. Por esa clara circunstancia viajó mucho, hasta el día de la renuncia en la embajada, cuando su esposo alegó que en tiempos del telégrafo y el teléfono las embajadas eran anacrónicas.

Figueroa muere tiempo después de regresar a Buenos Aires y Clara se dedica a la pintura, pasión que llevaba escondida desde niña.

En el ambiente cultural de entonces, Clara conoce a Marta Pizarro, una mujer como ella de la sociedad, que además se desempeñaba como gestora cultural, y quien la recomendó para pequeñas exposiciones individuales en galerías y salones de barrio.

Con el tiempo, empezó a generarse una rivalidad entre ellas, hasta el punto de que cada una pintaba contra y para la otra. Cada una era juez y solitario publico de su rival. En alguna ocasión Marta, ya madura, rechazó una tentadora oferta de matrimonio; sólo le interesaba su batalla secreta.

Un día de 1962 Clara Glencairn murió de un auneurisma y los diarios locales le dedicaron extensas columnas necrológicas. Marta comprendió que su vida carecía a partir de ese momento de razón y no volvió a pintar en homenaje a la guerra que vivió en su vida, en la que no hubo victoria ni derrota.

EL OTRO DUELO

Carlos Reyles, hijo de un afamado novelista, es el narrador de este relato que tiene como personajes a

Manuel Cardozo y Carmen Silveira, dos campesinos de vidas rudimentarias, que no tenían otro bien en la vida que el odio del uno por el otro y que sus existencias transcurrieron en medio de esa eterna enemistad.

Sin embargo, la vida les jugó una mala pasada. Un día de invierno del setenta, la Revolución de Aparicio los sorprendió en la misma zona y terminaron juntos enrolados en el ejército, para defender los colores patrios.

El Capitán Juan Patricio Nolan, inmediato superior de Cardozo y Silveira y quien por provenir de la misma zona conocía del eterno odio entre estos dos personajes, los puso a competir degollando Pardos.

En el intento, el primer Pardo que les correspondía les abrió un tajo a ambos quienes cayeron de bruces inmediatamente. Cardozo en la caída estiró los brazos. Tal vez había ganado y no lo supo nunca.

GUAYAQUIL

Eduardo Zimmermann, alemán expulsado de su país por el Tercer Reich, visita a Borges un día para decidir cuál de los dos publicará unas cartas de Bolívar, exhumadas del archivo de un político opositor del oficialismo, cartas que ambos tienen la misión de publicar, encomendados por sus respectivas universidades.

A pesar que el motivo de la entrevista es decidir quién se queda con la potestad de publicar dichas epístolas, el encuentro terminó siendo un debate sobre el destino de América después del encuentro de Bolívar y San Martín en Guayaquil.

Discutieron, entre otras cosas, que la decisión de San Martín de renunciar a la ambición y dejar el destino del continente en manos de Bolívar, se debía a distintos factores, de los cuales todo el mundo especulaba: que San Martín fue víctima de una celada; que había reconocido mayor grandeza en Bolívar; que San Martín era un militar europeo extraviado en un continente que nunca comprendió; abnegación y fatiga o la orden de alguna secreta logia masónica.

Finalmente, Borges declina a su opción de publicar las cartas y luego de un interesante debate firma una carta donde deja a Zimmermann todos los derechos de publicar las cartas.

EL EVANGELIO SEGÚN SAN MARCOS

Este relato trata sobre el joven Baltazar Espinosa, estudiante de medicina, hijo de un librepensador y de una madre católica, que un día se va de veraneo a Álamos con su primo Daniel.

Allí conoce a los Gutres: padre, hijo y una mujer de incierta paternidad a quienes Baltazar les lee obras clásicas argentinas y uruguayas. Los Gutres, que eran capataces analfabetos, se divertían mucho con las lecturas de Baltazar, pero lo que más les llamó la atención fue la lectura que hizo del *Evangelio según San Marcos*, texto que le pidieron que repitiera una y otra vez.

Una de las noches, en medio de la oscuridad del campo, la muchacha de los Gutres entró desnuda a su habitación. Era la primera vez que sentía un cuerpo ajeno al suyo y confundido entre sus caricias vio llegar el amanecer.

Al día siguiente el complejo de culpa invadió a Baltazar, quien pensaba que el padre lo iba a matar, pero éste lo buscó muy temprano con algunos interrogantes sobre el Evangelio de San Marcos, pero la culpa era más grande para Baltazar, quien a partir de ese momento vio en cada árbol una cruz.

EL INFORME DE BRODIE

Manuscrito que Borges traduce del misionero escocés oriundo de Aberdeen, que predicó la fe cristiana en el centro de África y las regiones selváticas del Brasil.

En este texto el misionero trata de las costumbres de los hombres monos (apemen) que él los llamo Yahoos. Estos seres devoraban cadáveres de hechiceros y de reyes, para asimilar su virtud. Eran insensibles al dolor y al placer, salvo el agrado que les daban la carne cruda, rancia y las cosas fétidas.

Lo que más le llamó la atención al misionero, era que a pesar de sus jerarquías profesaban una doctrina del cielo y del infierno, en la cual ambos son entidades subterráneas. En el infierno, que es claro y seco moraban los enfermos, los ancianos, los maltratados, los árabes y los leopardos y en el cielo, que se figuraban pantanoso y oscuro, el rey la reina, los hechiceros, los duros y los sanguinarios.

Otra costumbre de la tribu son los poetas. A un hombre se le ocurre ordenar seis o siete palabras enigmáticas, que dice a gritos en el centro de un círculo, alrededor del cual se reúnen los hechiceros y la plebe. Si el poema no excita, no pasa nada, si las palabras del poeta sobrecogen, todos se apartan de él, sienten que les ha tocado el espíritu, por lo cual deja de ser un hombre para convertirse en un dios.

El Informe de Brodie es entre otras cosas un elogio a la poesía, a través de una extraña comunidad de aborígenes.

ANÁLISIS LITERARIO
EL ALEPH

Los diecisiete textos que componen *El Aleph* pertenecen al género literario del relato. Aparecen en ellos las preocupaciones temáticas de Borges por el problema del tiempo, acompañadas por ende de la visión de fugacidad del hombre en la tierra, la eternidad, como ese regalo del tiempo del que nos hablaba el poeta romántico inglés William Blake, la percepción del infinito y el descubrir en los anónimos personajes de la ciudad los laberintos que conducen al asombro y a la maravilla.

Aunque la mayoría de los textos tiene un perfil de realidad, ciertos asomos de magia y fantasía revelan al Borges propietario de una palabra fantástica y de un mundo donde en cada esquina existe un fragmento de historia.

Los argumentos se van relatando de una manera lineal, ubicando como escenario diversos lugares del mundo, con personajes a quienes les ocurren sucesos y acontecimientos que hacen de cada relato una reflexión sobre el hombre y el pensamiento, con altos momentos de metafísica e historia. Son estos personajes habitantes de mundos laberínticos y arquitectos de geométricos espacios donde se reflejan el absurdo, la semiótica de las calles y los submundos y la realidad.

La filosofía, la religión, la relación del artista con Dios (característica fundamental de la literatura moderna), se encuentran de manera explícita en todos los relatos, rastreando los misterios de la memoria, para encontrar la esencia del hombre en el alma de la palabra.

El universo resulta en varios de los relatos de *El Aleph*, como un concierto del caos, con vacíos de creación en ese infinito que tanto le preocupó, como una estación habitada por los sentimientos y el misterio del alma en el camino del tiempo.

En algunas líneas, sospecha más bien que el universo no existe y que se trata de una invención del hombre, para justificar su incapacidad de pensamiento y de desarrollo.

¿Acaso el hombre es un dios soñado por otro dios o la existencia es un sueño dentro del sueño?.

¿Es el universo la amnesia de algún dios? Como toda la prosa de Borges, los relatos de *El Aleph* están escritos en un lenguaje culto, preciso y elegante.

Borges en algunos relatos de *El Aleph*, considera que para Dios los actos no tienen espacio, ni tiempo porque para Él todos los acontecimientos ocurren en el mismo lugar y en el mismo instante. Por eso la mayoría de textos de este libro no tienen una temporalidad definida, ni un espacio preconcebido. Algunos relatos ocurren en el siglo XIX en Oriente, o en Europa, otros acontecen en los años 20 en climas tropicales o en el Asia Menor.

Borges por momentos niega la realidad del individuo, incluso trae a colación la hipótesis de la memoria colectiva, porque ésta ratifica que el hombre alberga los recuerdos de muchos hombres, entre las contradicciones de la memoria y el olvido, el sueño y la realidad, como *Las mil y una noches*, la mitología griega, *La Ilíada* y *La Odisea,* etc.

De igual forma, algunos de los textos presentes en *El Aleph*, tienen un original estilo de relato - ensayo, porque adicional al contenido ficticio, poseen una reflexión sobre historia, culturas orientales y religión.

Relatos como *El inmortal*, *El muerto*, *Los teológos* y *Emma Zunz*, indagan la realidad del hombre a través de un cuestionamiento del tiempo, como materia prima de la imaginación.

La intuición filosófica y literaria hacen parte de la obra, casi como un personaje más y se traducen como una relación del destino y del sueño.

No se sabe a ciencia cierta qué es un "Aleph" y al asomarse a los relatos de este libro, se puede afirmar lo que la leyenda había dicho: El Aleph era una especie de caleidoscopio que Borges le regaló a su enamorada Estela Canto en 1945 y efectivamente es un caleidoscopio en el papel, porque allí se entremezclan la filosofía, la ciencia, el sueño, la metafísica y sobre todas las cosas, la literatura.

El Aleph, fiel a la premisa borgiana, que el escritor debe pensar que su patrimonio es el universo, parte de una actitud humana y estética para elaborar una especie de inmenso ajedrez en donde se confunden arrabales porteños, personajes alemanes o escandinavos, guapos orilleros, angustias propias del hombre moderno y laberintos policíacos con la ciencia y la metafísica.

En las historias de *El Aleph* la realidad y la percepción desembocan en la maravilla de países utópicos, bibliotecas y paisajes desolados rastreando la aventura del espíritu del hombre en los símbolos de su propia experiencia vital.

El Aleph confirma la mitología como una ciencia que se entremezcla con lo fantástico, retratando la carne de los dioses como hombres derrotados por su propio asombro en el reino de la muerte, la única región donde la muerte cohabita con el destino: la vida y el territorio de las palabras, la literatura.

ANÁLISIS LITERARIO
EL INFORME DE BRODIE

Al igual que en *El Aleph*, los once textos que integran el volumen *El informe de Brodie*, pertenecen al género del relato, narrados en su totalidad en forma lineal, donde la raza gaucha, criolla, se abandona ante el asombro de la poesía y la reflexión poética sobre el hombre.

Borges, consciente más que nadie que la historia hace al escritor un hacedor de universos que traduce la historia en hecho estético, hace de cada uno de los relatos una sorpresa sobre la naturaleza misma del texto, llevando de la mano el asombro y los temas universales de la literatura, que siempre serán los mismos en todos las épocas: el amor, la muerte, el tiempo, el sueño, la vida, la permanente añoranza de los días idos y la soledad del hombre ante su propia existencia.

En *El informe de Brodie* aparece el coraje gaucho y la crudeza de su comportamiento dentro del prototipo del escenario argentino, propiamente el porteño: Parque Lezama, Palermo, Avenida Corrientes, Calle Florida. De ahí que en relatos como "La intrusa", "Juan Muraña", "El encuentro" e "Historia de Rosendo Juárez", aparezcan como un vivo reflejo de la realidad, las sangrientas peleas del arrabal, los cafetines y las librerías del centro de Buenos Aires con atmósfera de tango y viejas milongas.

A través de los textos se va revelando la belleza que Borges encontraba en la cotidianidad de su patria, en la vida íntima de sus anónimos habitantes, en las casas, solares, patios, zaguanes, calles y suburbios de su Buenos Aires, emprendiendo la aventura de la creación literaria desde las fronteras del norte argentino hasta la pampa y la Tierra del Fuego, ese continente de hielo que el explorador Magallanes bautizó de esa manera, porque desde sus barcos observaba las inmensas hogueras que los primitivos provocaban para abrigarse del frío.

Se crea entonces una mística por el hallazgo del paraíso en el corazón del hombre común, del ciudadano del malevaje, de aquel que sólo ve crecer su sombra en la medida que se acerca a su propio destino, a su propia verdad, que no son otra cosa que su vida y su tiempo.

La narrativa de *El informe de Brodie* juega, como la inmensa obra de Borges, con la figura de la metáfora como fuente suprema del pensamiento analógico, como la libertad de acción de la palabra ante la miseria del hombre para derrotar el miedo y la inocencia del sueño.

Es frecuente que en la mayoría de los relatos, el narrador en tercera persona cambie deliberadamente a la voz de un narrador en primera persona, que en muchos casos puede ser un Borges ficticio que asume simultáneamente el papel de protagonista, testigo, comentarista al margen y pensador o pensadores que hablan al respecto.

Por eso en muchas de sus páginas encontramos de la mano lo testimonial, lo confesional y lo reflexivo con un gran telón de fondo que es el azar y el asombro.

La fabulación de la soledad, la derrota y el desamparo del hombre y su palabra se definen en un álgebra de imágenes, temas y anatemas donde se engendran en una misma madre, la pasión borgiana por lo nacional y lo universal.

La luz y la naturaleza del lenguaje hacen de la palabra en *El informe de Brodie* una criatura que protagoniza el alma y la voz de las cosas.

La permanente contradicción entre el silencio y el lenguaje, lo plasmó la crítica argentina Gabriela Massuh refiriéndose a *El Aleph* y *El informe de Brodie*:

"Borges sabía muy bien que descreer de las posibilidades del lenguaje era una manera de destruir la literatura. Creía que uno de los mayores defectos del lenguaje era la imposibilidad de enunciar a un mismo tiempo una multiplicidad de sensaciones o vivencias diferentes. Pero existía un elemento capaz de otorgarle al lenguaje un poder de acción más eficaz y este elemento era el silencio".

Y de ahí su afirmación de que la verdadera literatura y su esencia suprema, la Poesía, es cuando uno siente que las palabras miran hacia un mismo lado, arribando siempre al terreno, algunas veces baldío, del silencio y la reflexión.

INSTANTES

Si pudiera vivir nuevamente mi vida, en la próxima trataría de cometer más errores. No intentaría ser tan perfecto, me relajaría más. Sería más tonto de lo que he sido, de hecho tomaría muy pocas cosas con seriedad. Sería menos higiénico. Correría más riesgos, haría más viajes, contemplaría más atardeceres, subiría más montañas, nadaría más ríos. Iría a más lugares a donde nunca he ido, comería, más helados y menos habas, tendría más problemas reales y menos imaginarios.

Yo fui una de esas personas que vivió sensata y prolíficamente cada minuto de su vida; claro que tuve momentos de alegría. Pero, si pudiera volver atrás, trataría de tener solamente buenos momentos. Por si no lo saben, de eso está hecha la vida, sólo de momentos, no te pierdas el ahora.

Yo era uno de esos que nunca iban a ninguna parte sin un termómetro, una bolsa de agua caliente, un paraguas y un paracaídas, si pudiera volver a vivir, viajaría más liviano. Si pudiera volver a vivir comenzaría a andar descalzo a principio de la primavera y seguiría así hasta concluir el otoño. Daría más vueltas en calesita, contemplaría más amaneceres y jugaría con más niños, si tuviera otra vez la vida por delante... Pero, ya ven, tengo 85 años y sé que me estoy muriendo.

NADINI STAIR
Traducción de JORGE LUIS BORGES

BIBLIOGRAFÍA CONSULTADA

Aunque la bibliografía de Jorge Luis Borges es bastante extensa y entre narrativa, ensayo, poesía, traducciones, compilaciones y libros en colaboración con otros autores los títulos pasan de los cien, me permito señalar los fundamentales para la comprensión total de su obra:

- *Fervor de Buenos Aires* (poesía, 1923)
- *La luna de enfrente* (poesía, 1925)
- *El tamaño de mi esperanza* (ensayo, 1926)
- *Evaristo Carriego* (ensayo, 1930)
- *Historia universal de la infamia* (relatos, 1935)
- *Historia de la eternidad* (ensayo, 1936)
- *El jardín de los senderos que se bifurcan* (relatos, 1941)
- *Ficciones* (relatos, 1944)
- *Nueva refutación del tiempo* (ensayo, 1947)
- *El Aleph* (relatos, 1949)
- *El hacedor* (relatos, 1960)
- *El informe de Brodie* (relatos, 1970)
- *El libro de arena* (relatos, 1975)
- *La rosa profunda* (poesía, 1976)
- *La moneda de hierro* (poesía, 1977)
- *Historia de la noche* (poesía, 1978)
- *Los conjurados* (poesía, 1985)

BIBLIOGRAFÍA CONSULTADA

BORELLO, Rodolfo. *Estructura de la prosa de Jorge Luis Borges*. Oxford, The Dolphin Books, Co, 1964.

CAILLOIS, Roger y otros. *Recopilación de artículos de Jorge Luis Borges*. Buenos Aires. Editorial Freeland, 1978.

FERNANDEZ MORENO, César. *Esquema de Borges*. Buenos Aires. Editorial Perrot, 1957.

GUTIÉRREZ GIRARDOT, Rafael. *Jorge Luis Borges: Ensayo de la interpretación*. Bogotá. Instituto Colombiano de Cultura, 1976.

PRIETO, Adolfo. *Borges y la nueva generación*. Buenos Aires. Letras Universitarias, 1954.

BIBLIOGRAFÍA RECOMENDADA

BENAVIDES, Washington y otros. *Borges: Obras y personajes*. Montevideo. Alcalli editorial, 1978.

CARRIZO, Antonio. *Borges, el memorioso.* México, Fondo de Cultura Económica (Colección Tierra Firme), 1982.

RODRÍGUEZ MONEGAL, Emir. *Borges, hacia una lectura poética.* Madrid. Editorial Guadarrama, 1976;

Borges por él mismo. Caracas, Monte Ávila Editores, 1980.

VÁZQUEZ, María Esther. *Borges, sus días y su tiempo*. Buenos Aires. Javier Vergara Editor, 1984.